Projet : I Dioscuri, Gênes 1993
Texte : Anna Carassiti, Stefano Roffo
Conseiller : Diego Meldi
Dessins : Lorenzo Pieri
Graphisme : Studio Effe
Traduction : Paola Pioli

LE ROI ARTHUR

et les chevaliers de la Table Ronde

dessins de
Lorenzo Pieri

La guerre durait depuis de longues années entre Uther Pendragon,

roi de toute l'Angleterre,
et un puissant duc de Cornouailles,
appelé duc de Tintagel.
Un beau jour, Uther envoya quérir
e duc et son épouse, une gentille et honnête
femme prénommée Igraine...

BRETAGNE, TERRE DE PRODIGES

Les mythes des Celtes

Les thèmes des récits du cycle appelé Breton, c'est-à-dire le cycle d'Arthur, dérivent des légendes traditionnelles des peuples celtiques de la Petite et de la Grande Bretagne. C'est là-bas que les poètes de la première moitié du XIIe siècle trouvent leur source d'inspiration : ils introduisent ce genre neuf dans le monde latin.

Le Saint Graal

Une grande partie des aventures d'Arthur et de ses chevaliers est liée au Graal : selon les mythes celtiques préchrétiens, il s'agit de la « coupe de la souveraineté » qui deviendra dans la littérature médiévale le calice utilisé par le Christ lors de la Cène.

Avalon

L'Avalon dont on parle dans le cycle d'Arthur était, pour les anciens Saxon, la résidence des Dieux et l'endroit où se rendaient les héros morts au combat. Ce nom signifie probablement l'île aux pommiers. Par la suite, dans les récits, il coïncidera avec le Paradis chrétien.

Arthur et Merlin

A l'origine, les aventures de Merlin, le magicien conseiller d'Arthur, n'avaient aucun lien avec le roi de la Table Ronde.
Il semble que ce personnage dérive d'un certain Myrddin, héros des fables galloises du VIIIe siècle de notre ère.

Les Chevaliers de la Table Ronde

Courageux et fidèles, ces chevaliers du roi ont le devoir de combattre toutes les forces du mal. Ils refusent le mensonge et jurent protection aux plus faibles. En réalité, leurs duels symbolisent la lutte ancienne entre le bien et le mal.

Le père d'Arthur

Si l'on en croit une ancienne légende, Uther Pendragon, père d'Arthur, était roi des ténèbres et seigneur de la guerre. L'arc-en-ciel lui servait de bouclier et il pouvait se transformer en nuage ; au début du récit, il apparaît en effet à Igraine sous une apparence trompeuse.

ARTHUR ET SES CHEVALIERS

Dans un sombre château de Cornouailles, Igraine, épouse du duc Gorlois, attend le retour de son mari parti en guerre contre le roi de Bretagne, Uther Pendragon. Pendant la nuit, ce dernier, épris de la jeune femme, apparaît devant elle sous les traits de Gorlois, mort au combat. L'auteur de ce sortilège est Merlin l'enchanteur. Un enfant naîtra de cette union : Arthur.

Merlin, afin de le tenir éloigné des intrigues de la Cour, confie le nouveau-né à Sir Hector, qui l'élève. A l'âge de seize ans, Arthur est le seul chevalier qui parvient à extraire une épée mystérieusement fichée dans une roche. Il s'agit de la mythique Excalibur. C'est seulement alors que Merlin dévoile à Arthur l'identité de ses véritables parents et lui révèle que la prophétie gravée sur la pierre est en train de s'avérer : il sera le souverain des Bretons. Immédiatement, de nombreux princes lui déclarent la guerre, mais grâce à ses propres forces et à l'aide du puissant magicien, le jeune roi a raison de tous ses ennemis.

Au château de Camelot, Arthur accueille à ses côtés les plus vaillants chevaliers. Dans l'atmosphère magique de la Cour, Merlin l'enchanteur exauce tous les

Messer Galvan parla ainsi : « Au nom des Chevaliers de la Table Ronde, je jure que jamais dame ou pucelle ne se rendra dans cette Cour pour chercher de l'aide sans la trouver, et que jamais homme ne demandera secours à un Chevalier sans l'obtenir »...

désirs du roi. Arthur, lui, suit scrupuleusement tous les conseils que lui donne le magicien – sauf quand il s'agit de son mariage avec la belle Genèvre, fille de Lodegrange, roi de Camylarde. La dot de la promise consiste en une magnifique Table Ronde et cent chevaliers parfaitement armés. Chaque fauteuil ou presque porte le nom, gravé en or, du chevalier destiné à l'occuper. Parmi les aventures des Chevaliers de la Table Ronde, deux sont particulièrement intéressantes : la recherche du Saint Graal et l'idylle entre Lancelot et Genèvre. Cette idylle, bien qu'elle symbolise parfaitement les idéaux chevaleresques de l'amour courtois, est toutefois bien compliquée puisque la dame dont Lancelot s'est épris n'est autre que la femme d'Arthur, son roi et son meilleur ami.

Une autre histoire d'amour courtois qui occupe une place importante dans le cycle Breton est celle de Tristan et Iseulth : un amour impossible qui finira tragiquement.

Toutes les aventures liées au Graal, la coupe dans laquelle Joseph d'Arimathie avait recueilli le sang du Christ en Croix expriment la recherche d'idéaux religieux très purs : le Graal symbolise les valeurs spirituelles recherchées avant les intérêts matériels.

Le Graal est la coupe en laquelle Jésus mangea l'agneau ; Joseph d'Arimathie y recueillit le sang du Sauveur au pied de la Croix...

ARTHUR ET SES CHEVALIERS

Tous les chevaliers partent à sa recherche, mais seul Perceval est destiné à trouver la coupe mystique. Dans une autre version, c'est Galaad, fils de Lancelot et de la reine Elaine, qui y parvient. Quant à Lancelot, pourtant valeureux, le seul fait d'avoir trahi le roi lui interdit toute recherche de la Relique sacrée.

La quête du Graal et l'idylle entre Lancelot et Genèvre ne sont pas les seules histoires fascinantes de ce cycle : Arthur et les Chevaliers de la Table Ronde vont vivre bien des aventures. Outre les guerres, ils doivent affronter toujours, en des tournois, les adversaires douteux qui peuplent les rives brumeuses de la Cornouaille, ou partir pour de nobles expéditions dans le but de libé-rer quelque jeune fille victime d'un mauvais sort. Merlin est un personnage capital tout au long du récit. A l'origine (de manière occulte) de la plupart des péripéties (de la naissance d'Arthur à la création de la Table Ronde), il va finir par être victime de la magie qu'il avait pourtant toujours maîtrisée à la perfec-tion, et ce, par amour pour Viviane. Cette fée malveillante, qui désire tenir Merlin sans cesse à ses côtés, jette au magicien un sort que lui-même lui avait enseigné : il se retrouve enfermé dans une demeure dont l'issue lui est introu-vable.

Mais revenons à l'histoire principale : Arthur, au courant de la passion de Genèvre pour son meilleur ami, condamne sa femme à mort. Lancelot enlève alors la reine et s'enfuit avec elle en France. Le roi part à leur recherche et confie le régence à Mordred, fils de la

Lancelot maintint longtemps la promesse de fidélité qu'il avait faite au roi, mais l'ennemi se manifesta à travers les yeux de Genèvre au corps magnifique, et c'est ainsi qu'un beau jour, il oublia son serment....

En regardant vers la mer, il vit s'approcher une belle embarcation remplie de dames charmantes, qui toucha terre non loin de là. L'une des dames, la fée Morgane, l'appela ; le roi se leva, puis, armé, monta dans le bateau ; les voiles gonflèrent au vent et l'embarcation s'envola...

fée Morgane. De retour dans sa patrie, Arthur découvre que Mordred s'est emparé du trône : lors du combat qui s'ensuit, Arthur tue l'usurpateur mais celui-ci parvient, avant de l'expirer, à blesser mortellement le roi. Pendant son agonie, Arthur charge son homme de confiance, Bedivère, de rapporter Excalibur au lac et de la jeter dans l'eau ; le chevalier exécute les ordres bien à contrecœur et, lorsqu'il revient, il aperçoit une mystérieuse embarcation noire conduite par des personnages encapuchonnés qui encerclent trois reines : celles-ci, en pleurs, accueillent Arthur à leur bord puis s'éloignent en direction de la mythique île d'Avalon.

La Mort d'Arthur de Thomas Malory est la version la plus complète de la légende : elle se compose de 21 livres divisés en trois parties : la première conte la naissance du roi Arthur et la fondation de la Table Ronde, la deuxième est consacrée à Tristan et Iseult, et la dernière narre les histoires de Lancelot et Genèvre, du Graal et de la mort d'Arthur.

EXCALIBUR

Un jour, Merlin conduit Arthur sur les rives d'un lac au fond duquel se dresse un superbe palais, le plus beau et le plus fastueux du monde : c'est ici que vit la Dame du Lac, une créature mystérieuse et splendide.

Merlin souhaitait procurer au roi une épée digne d'un grand souverain et son désir fut immédiatement exaucé. La Dame du Lac émerge subitement des sombres profondeurs et, marchant sur l'eau, se dirige vers le roi et le salue courtoisement. Au même moment, tout près de là, un bras tout blanc brandissant une épée surgit de l'eau : immédiatement, Arthur demande à la recevoir en don. La Dame accepte et le roi, arrivé à la hauteur de l'épée, empoigne l'arme avec force tandis que le bras disparaît dans les eaux. Merlin explique alors à Arthur que le fourreau de l'épée magique protège celui qui le porte contre toute blessure. C'est ainsi, selon une des nombreuses versions du cycle Breton, qu'Arthur entre en possession de la mythique Excalibur.

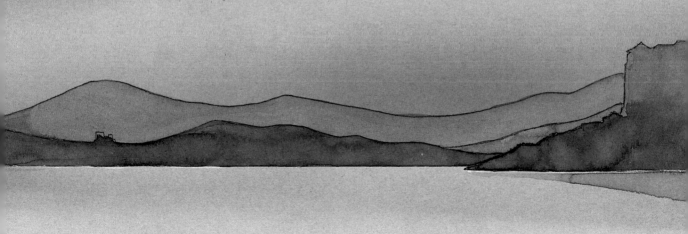

LES PERSONNAGES

ARTHUR

Roi de Bretagne.
Fils d'Uther
Pendragon et
d'Igraine, reine de
Cornouaille.
Il rassemble à la
Cour, autour de la
Table Ronde les
plus vaillants
chevaliers.

GENÈVRE

Femme d'Arthur.
Noble de naissance,
son éducation est
parfaite et sa beauté
sans égale. Arthur
l'épouse malgré les
avertissements de
Merlin – qui
prophétise la
trahison.

LANCELOT

Fils du roi Ban et de
la reine Elaine, il est
élevé par la Dame
du Lac.
C'est le plus fort
des chevaliers de la
Table Ronde. Il
tombe éperdument
amoureux de
Genèvre.

MERLIN

Fils d'un incube
et d'un femme
vertueuse, il est
baptisé dans le but
de contrebattre sa
nature maléfique.
Doué de grands
pouvoirs, il est le
sage conseiller
d'Arthur.

PERCEVAL

Fils de Gahmuret,
il est élevé dans la
forêt de Gatea,
solitaire, par sa
mère
Herzeloide.
C'est le héros au
cœur pur destiné
à retrouver
le Saint Graal.

TRISTAN ET ISEULT

Tristan, neveu du roi
de Cornouailles,
retrouve pour son
oncle la blonde Iseult,
mais, par enchantement,
il se lie pour toujours
à la jeune fille.
D'où naît un amour
impossible et tragique.

SYMBOLES ET MAGIES

GRAAL : d'un coup d'épée, l'archange Michel détacha du heaume de Lucifer l'énorme rubis qui y était serti. La pierre qui termina sa course au fond de la mer fut retrouvée par Salomon qui en tailla la coupe utilisée par le Christ lors de la Cène et dans laquelle Joseph d'Arimathie recueillit, au pied de la Croix, le sang du Seigneur. Les chevaliers consacrèrent leur vie entière à la recherche de cette coupe si précieuse.

LA TABLE RONDE : c'est le symbole d'un centre spirituel et sa forme arrondie n'est autre qu'une allusion au Zodiaque : en effet, les chevaliers qui prennent place autour de cette table sont douze, tout comme les signes zodiacaux. Le nombre douze peut également évoquer les apôtres. La Table Ronde dérive probablement de la Pierre cosmique sacrée des druides.

16

MORGANE : fille d'Igraine et de Garlois, par conséquent sœur d'Arthur par sa mère, elle possède des pouvoirs magiques. C'est la mère de Mordred – celui qui tuera Arthur.

VIVIANE : c'est une des fées qui peuplent le monde mythique des Celtes. Les fées sont des génies feminins à l'aspect gracieux, ce sont les filles de la Terre-Mère.

LA DAME DU LAC : mystérieuse femme guerrière qui éleva Lancelot et en fit un grand chevalier. Il arrive souvent, dans la tradition celtique, qu'un fort combattant ait comme maître un personnage féminin.

LE THÉÂTRE
DE LA GESTE

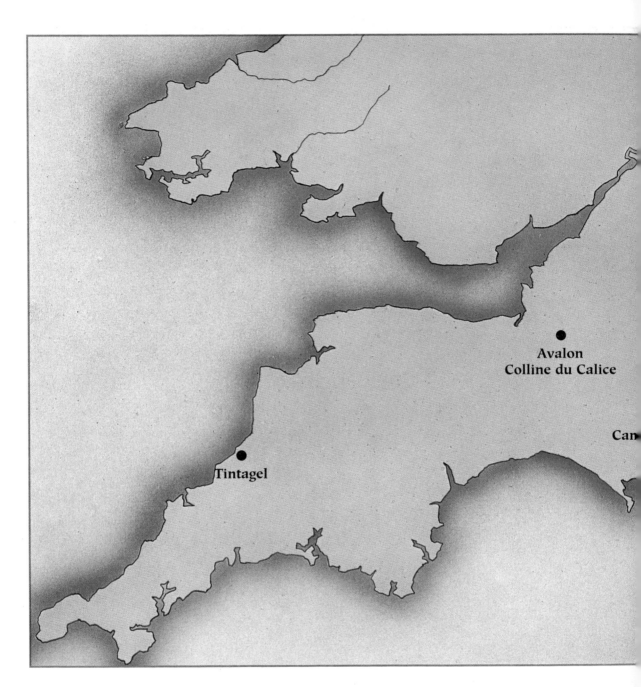

CAMELOT – Château situé dans le sud de l'Angleterre, au sommet d'une colline qui domine le fleuve qui porte le même nom. C'est le siège de la Cour du roi Arthur ; il abrite la Table Ronde autour de laquelle s'assoient les chevaliers du roi en des occasions solennelles.

Lors de récentes fouilles dans cette zone, ont été retrouvés les restes d'une construction qui pourrait dater de l'époque à laquelle Malory, auteur de *la mort d'Arthur*, situe les aventures des chevaliers.

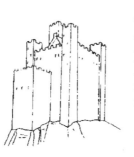

TINTAGEL– Forteresse d'Arthur située sur la côte de la Cornouaille du Nord. Les remparts imposants s'élèvent à pic au-dessus de la mer et les fondations sont constituées de gigantesques roches découpées des falaises. C'est une des résidences d'Arthur et probablement le château où il est né.

On a retrouvé dans cette zone des restes archéologiques d'une implantation très ancienne. On sait que c'était un lieu sacré des druides et qu'ils y transportèrent la Pierre ronde cosmique.

AVALON – Ile rocheuse située au milieu d'un lac splendide entouré d'un paysage enchanté où le printemps s'est installé définitivement. Habitée par des magiciennes extraordinaires, elle abrite le roi Arthur qui attend de pouvoir rejoindre son peuple.

Avalon est peut-être l'actuel Glastonbury qui, au Ve siècle après J.-C., était réellement une île puisque la mer recouvrait encore les plaines environnantes. Dans ce lieu que la tradition indique comme dernière demeure d'Arthur, une ancienne sépulture a été retrouvée.

LA COLLINE DU CALICE – C'est la colline de Tor qui fait toujours partie de l'île d'Avalon, où Joseph d'Arimathie érige une église et cache le Saint Graal : il le dépose au fond d'un puits construit précédemment par les druides.

La colline de Tor, qui existe encore aujourd'hui dans le Somerset, est une sorte de labyrinthe en spirale que les pèlerins parcouraient pour atteindre le sommet et qui remonte à l'époque des premières implantations chrétiennes de Glastonbury.

LES CHEVALIERS ENTRE LÉGENDE ET RÉALITÉ

Dans la Petite et la Grande Bretagne, au VIe siècle après J.-C., époque à laquelle se réfèrent les faits contés dans le cycle Breton, les peuples celtiques sont contraints de mener une vie aventureuse pour se procurer les biens de première nécessité. Ils vivent de pêche et de chasse, pratiquent l'élevage mais se consacrent avant tout aux combats.

Ce sont de très habiles artisans, notamment dans la métallurgie du bronze avec lequel ils forgent non seulement les fourreaux des épées et les heaumes, mais aussi divers récipients et des colliers faits à la perfection ; c'est en tout cas dans le travail du fer que les Celtes font preuve des plus hautes capacités.

On sait qu'ils possèdent une caste de prêtres savants, les druides, qui étudient le ciel et érigent de magnifiques constructions de pierre, comme Stonehenge, autour desquelles ils célèbrent leurs rites en l'honneur des Dieux.

Ci-dessus : Stonehenge, impressionnante construction qui remonte à 4000 ans et que l'on peut encore admirer aujourd'hui sur un plateau du sud de l'Angleterre.
Ci-contre en haut : un heaume et autres objets artisanaux celtiques.

Tout le territoire est divisé en royau-
mes. Le mot roi indique donc celui
qui est seigneur sur un territoire. La
cour de ces chefs est probablement
constituée de guerriers loyaux et
courageux, mais pourtant animés
par des passions impétueuses et des
sentiments immédiats que seules les
qualités de chevalerie (qui se déve-
lopperont au cours des siècles sui-

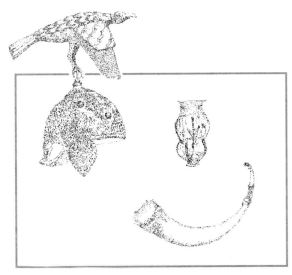

vants) parviennent à tempérer en partie. Les aventures contées dans le
cycle Breton mentionnent en effet ces périodes, mais décrivent un style
de vie qui est celui de l'époque où naquit le récit, basé sur la tradition
orale. Qu'y a-t-il donc de vrai dans lesexploits d'Arthur et de ses chevaliers ? Arthur, en tant que personnage historique, est le premier véritable
chef militaire britannique depuis la chute de l'Empire romain ; si, pendant
longtemps, il a été considéré comme un héros exclusivement mythique,
l'archéologie moderne et l'analyse comparée des sources historiques et
légendaires ont permis d'identifier (avec une quasi-certitude) Arthur
comme un condottiere celte qui, au début du VIᵉ siècle, lutta contre les
Angles qui tentèrent de conquérir la Bretagne.

Certains pensent qu'il pourrait être le commandant des armées qui mena
les Celtes à la victoire à Mons Badonicus. L'allusion la plus ancienne au
personnage remonte à un poème héroïque gallois, *Gododdin,* où le nom
d'Arthur est mentionné en toutes lettres.

Ce qui compte, finalement, c'est que l'histoire d'Arthur et des Chevaliers
de la Table Ronde devient à partir du Moyen-Age une source d'inspiration
considérable pour les œuvres littéraires de grande importance qui ont en
outre, le mérite de rassembler et de faire parvenir jusqu'à nous une tradition orale de légendes celtiques qui se serait, sans cela, perdue à jamais.

LA VIE À LA COUR DU ROI ARTHUR

Le noyau du récit le plus répandu et organique du cycle Breton remonte au XIIᵉ siècle, et l'on sait qu'à cette époque, il n'était pas rare de trouver une différence entre la réalité quotidienne et les modèles littéraires ; le concept d'idéaux et les qualités chevaleresques, qui conditionnaient l'existence des chevaliers à la cour d'Arthur, transparaissent parfois différemment dans les différentes œuvres qui composent le cycle. Essayons d'imaginer l'existence de Lancelot et de ses compagnons en nous fondant sur le style de vie, historiquement prouvé, de la noblesse de l'époque. Le parfait chevalier jure fidélité à son roi et à la parole donnée ; il est généreux, prêt à défendre l'Eglise et tous ceux qui, en faisant le bien, ont besoin d'aide et de protection. Ces principes, tout comme la courtoisie (la délicatesse de cœur et de manières, l'intelligence et la bonne éducation qui doivent aller de paire avec courage, force et rejet de la fatigue et de la mort), sont à la base de chaque action. Toutes ces caractéristiques s'accentuent et s'améliorent ensuite à la cour d'un grand seigneur, telle la cour d'Arthur qui constitue l'exemple le plus brillant.

Le divertissement principal du chevalier est le tournoi : il y laisse libre cours à son impétuosité guerrière qui peut se déchaîner tout à fait

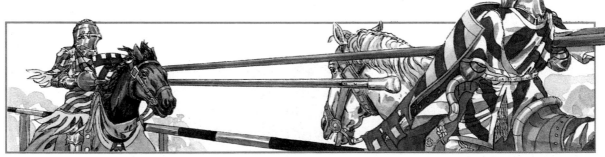

Les récits de combats abondent dans tous les écrits sur Arthur et ses chevaliers ; on peut citer par exemple le tournoi de Winchester au cours duquel Lancelot se couvrit de gloire.

La chasse du faucon nécessitait l'emploi de divers oiseaux ; outre le véritable faucon, le chevalier se servait du gerfaut, de plus garnde taille, et du faucon émerillon (toujours de la famille des faucons), plus petit et donc utile pour le petit gibier.

légitimement à l'intérieur des règles strictement observées. Bien qu'ils soient souvent violents et dangereux, les tournois sont des événements joyeux qui attirent un public nombreux et autour desquels s'organisent de véritables foires avec commerçants et artisans. La chasse est également l'un des divertissements, mais aussi une nécessité des chevaliers qui pourvoient ainsi aux banquets. Tous les hommes de la cour et parfois même certaines damoiselles, s'adonnent à la chasse avec une passion débordante. La chasse qui correspond le mieux aux idéaux chevaleresques est celle que l'on pratique avec le faucon – qui requiert un long et difficile dressage de l'animal. Pendant les longues soirées à la cour, les nobles pratiquent le jeu d'échecs tandis qu'ailleurs, les autres couches sociales préfèrent s'adonner aux dés. L'étude des échecs fait partie du patrimoine culturel du chevalier et l'on sait que la Dame du Lac, lorsqu'elle élève Lancelot, ne néglige point cet aspect de son éducation. L'enjeu d'une partie d'échecs peut être le sort d'un prisonnier, d'une armée ou encore d'un royaume ; il arrive même que des discussions sur les parties déclenchent des batailles sanglantes.

L'AUTEUR: THOMAS MALORY

Les légendes narrées par Malory dans *la Mort d'Arthur* s'inspirent des récits de l'ancienne tradition celtique de la Petite et de la Grande Bretagne. Transmis oralement pendant des siècles, ils font objet, pour la première fois au XIIe siècle, d'une oeuvre littéraire grâce à Godefroy de Monmouth qui écrit *Histoire des rois de Bretagne*. Peu après, les récits sont repris et revus par Robert Wace qui est le premier à développer le thème de la Table Ronde. La tout aussi fameuse série de romans du poète français Chrétien de Troyes (*Lancelot*, *Perceval* et autres) date de 1160-1180. Au cours du siècle suivant, en Allemagne, Wolfram von Eschenbach avec son *Perceval* et Godefroy de Strasbourg avec *Tristan et Iseult* se lancent dans le genre chevaleresque. Chacun de ces auteurs contribue, en apportant des compléments et des modifications, à la formation du cycle Breton, mais c'est Thomas Malory, au XVe siècle, qui aborde le sujet de manière plus organisée et plus complète, en un style lent et harmonieux. L'auteur, entouré de légendes presque autant que ses personnages, serait un gentilhomme anglais à la vie très aventureuse. Il combattit en effet pendant la guerre des Deux Roses, puis, accusé de plusieurs délits, il fut arrêté à diverses reprises : c'est en prison qu'il écrivit une grande partie de son œuvre.

On ignore toutefois si les accusations étaient fondées ou si elles étaient la conséquence des rivalités causées par la guerre civile à laquelle il prit part. Sir Thomas Malory mourut le 14 mars 1471, après avoir obtenu le pardon du roi Henri VI, et

fut enterré à Londres dans la chapelle de Saint-François. *La Mort d'Arthur* qui conte les principales aventures du cycle Breton, de la naissance à la mort du roi, est publiée en 1485 par Caxton, premier imprimeur anglais. L'œuvre de Malory est la transformation littéraire la plus achevée d'un matériel, déjà existant, rassemblé et organisé selon une trame cohérente. Etrangement, *la Mort d'Arthur*, qui était jusque-là un manuscrit très répandu mais d'auteur inconnu, ne sera attribué avec certitude à Malory qu'en 1934.

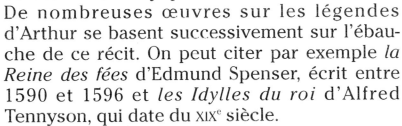

De nombreuses œuvres sur les légendes d'Arthur se basent successivement sur l'ébauche de ce récit. On peut citer par exemple *la Reine des fées* d'Edmund Spenser, écrit entre 1590 et 1596 et *les Idylles du roi* d'Alfred Tennyson, qui date du XIXᵉ siècle.

Richard Wagner consacra plus tard aux Chevaliers de la Table Ronde une de ses œuvres les plus belles et sa musique la plus légendaire : le *Parsifal,* dernier opéra du maître, est une évocation grandiose des thèmes chevaleresques. Après avoir marqué l'épopée, la poésie et la peinture, la légende entre dans le monde de l'art figuratif et influence le graphisme d'Aubrey Beardsley et la peinture préraphaélite.

Au cours de notre siècle, la légende n'a pas été oubliée, devenant souce d'inspiration pour une autre forme d'art : le cinéma.

On peut citer, parmi les réalisations les plus célèbres le fameux film *Camelot*, tiré d'une œuvre théâtrale de White, et le récent *Excalibur* de John Boorman.

TABLE DES MATIÈRES